eck
the
bee

eck the bee

A Scots word activity book

by Ann Matheson & James Robertson
Illustrated & Designed by Karen Sutherland

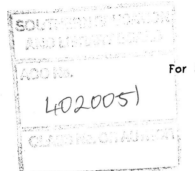

For Soapy - love ya first
KS

First published 2002
by Itchy Coo
A Black & White Publishing & Dub Busters Partnership

ISBN 13: 978 1 9029275 5 9
ISBN 10: 1 9029275 5 8
text copyright © Ann Matheson & James Robertson
Illustrations copyright © Karen Sutherland

Reprinted 2006

LOTTERY FUNDED

Book designed by Karen Sutherland
Printed & Bound in Poland EU, by Polskabook

Contents

Eck's Intro

Dear Freens,

I bet ye never had a letter frae a bee afore! I jist wantit tae say hello. I hope ye are gaun tae hae a lot o fun wi this book. Ye can stert at the front an work yer wey through it, or ye can jist lowp in at ony page an see hoo ye get on. I think it wid be best tae stert wi the Alphacat game, because ye'll find a lot o words there that will help ye tae read the rest o the book.

Dinna worry if ye dinna ken aw the words at first. Hauf the fun in the book is learnin new weys tae say things. I hope that by the end ye'll be fou o Scots words – it will be as if ye swallied a dictionary! But in the meantime, ye micht want tae show ma book tae ither fowk, in yer scuil or at hame. Aulder fowk aften like playin word games like this, an some o them will ken an awfie lot o Scots words that you micht no ken.

Guid luck! An mind an hae a look for me on the Itchy Coo website at

www.itchy-coo.com

Yours aye

Eck

P.S. Sometimes fowk in different pairts o the country say Scots words in different weys, an sometimes they spell them in different weys as weel. Ye'll find a few words like that in ma book. For example, whit's the Scots word for the number 1? I spell it **ane** (rhymes wi train), but ye can also pronounce it **yin** (rhymes wi tin) **een** (rhymes wi bean) or **wan** (rhymes wi can).
Whit's mair, sometimes when ye pit it in front o anither word it becomes **ae** or **yae** (rhymes wi day). These are aw correct! This can seem a wee bit tricky at first, but dinna worry. If ye're no shair, ask yer teacher.

"When ye see a picture o me fleein across the page like this, it means ye micht no want tae spile the book by writin in it wi a pen. Use a pencil so ye can rub oot yer answers later, or write the answers in yer jotter insteid!"

Alphacat

Dae ye want tae play?

This game is based on an auld game cried 'The Minister's Cat'.

The idea is tae gae through the alphabet an say something funny aboot the 26 cats that belang tae 26 fowk!

By the end, ye'll hae a haill alphabet o cats an drawins o cats tae gae richt roon yer classroom.

Miss Mackay the Model's cat is a mingin cat

She skooshes scent ahint its lugs

Hoo tae play

1. Split intae groups sae that awbody gets three or fower letters tae dae.

2. Sort oot wha gets which letters.

3. Tak a sheet o paper for each letter.

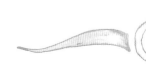

4. Say yer letter is B. Whit ye dae nixt is:

Pick somebody whase name sterts wi B. This cud be somebody famous (like yer favourite pop star or fitbaw player) or it cud be ane o yer freens, or somebody else ye ken, or somebody ye mak up, like Miss Mackay the Model, Linda the Lollipop Lady, Jimmy the Janny or Betty the Baker.

Pick a word stertin wi B tae describe the cat. Think o a word yersel, or pick ane frae Eck's A tae Z on pages 5, 6 & 7)

For example, **Betty the Baker's cat is a bausy cat**

Explain whit the cat is like an draw a picture o it.

Betty the Baker's cat is a bausy cat

It eats ower mony chocolate biscuits

Eck's A tae Z

A
Aiberdeen: Aberdeen
angersome: annoying
auld farrant: clever for its years, wise
Auntie Beanie: old-fashioned
awfie: awful, disgraceful

B
bausy: big and fat
bee-heidit: silly, scatter-brained
blate: shy, timid
bletherin: talkative
braw: excellent, great
byordinar: unusual, extraordinary

C
cannie: careful
carnaptious: quarrelsome
clarty: filthy
corrie-haundit: left-handed
crabbit: bad-tempered
crouse: proud

D
disjaskit: fed up
douce: sweet, pleasant
dour: stubborn, sulky
dowie: sad
drookit: soaked
dwaiblie: weak and shaky

E
eedle-doddle: easy-going, laid back
eident: careful and attentive
eldritch: weird, spooky
Embro: Edinburgh
evendoon: honest

F
fankelt: tangled, twisted
fantoosh: posh
faur kent: famous, known far and wide
feart: frightened
feckless: weak, useless
forfochen: tired out, weary
fozie: fat and flabby

G
gallus: bold
gawsie: plump and handsome
girnie: whining
glaikit: daft, silly
gleg: smart and quick
Glesca : Glasgow
greetin-faced: miserable
grugous: grim

H

haiverin: talking nonsense
hilty-skilty: harum-scarum
heeliegoleerie: topsy-turvy, in a mess
Hielan: Highland
humphie: smelly

I

ill-faured: ill-mannered,
    bad-tempered, or ugly
ill-hertit: mean, spiteful
impident: impudent, cheeky
ilie: oily

J

jaggy: spiky, prickly
janglin: talks all the time
jimp: neat, dainty
jinky: dodging and darting
joco: cheerful, pleased with yourself

K

kecklin: chuckling
kenspeckle: well-known,
    easily recognised
kibble: sturdy
kittle: touch, easily upset
knackie: skilful

L

lang-leggit: long-legged
lang-nebbit: long-nosed
leal: honest, faithful
licht-heidit: light-headed, dizzy
luvesome: lovable

M

maukit: filthy
mensefu: polite
menseless: impolite
mim-moued: prim
mingin: very smelly
muckle: big

N

natterie: bad-tempered
nebbie: cheeky
neer-do-weel: good-for-nothing
nesty: nasty

O

obleegin: obliging, helpful
oncomin: friendly
oorie: superstitious
ootby: outside
ordinar: ordinary
orra: strange, odd

P

peelie-wallie: pale, sickly
pensefu: thoughtful
perjink: prim, very neat and tidy
pernickety: fussy
pookit: thin, unhealthy-looking
pridefu: snobbish

Q

quait: quiet
queesitive: inquisitive, curious
quent: cunning
quirky: tricky, playful

R

radge: wild
raivelt: untidy
reid-faced: red-faced
ramgunshoch: rude and bad-tempered
ramstam: headstrong
rigwiddie: obstinate, tough-looking
roon: round

S

scunnert: disgusted
shilpit: thin and puny
siccar: steady, safe
skeerie: crazy, nervous
skinnymalinkie: very thin
sonsie: honest, friendly
stieve: strong
strippit: striped
stuffie: sturdy, spirited

T

taigeld: tangled up
tapsalteerie: upside down, in a mess
tentie: careful
thrawn: obstinate and difficult
timmer: shy, timid
tousie: rough and wild

U

ugsome: disgusting
unchancy: unlucky
unco-like: very strange (like an alien)
undeemous: huge
unsiccar: unsteady, not safe
untholeable: unbearable

V

vauntie: proud-looking
veecious: vicious
virrfu: energetic
vogie: proud

W

wabbit: tired
wee: small
weel-aff: rich
whingin: complaining
wice: wise, clever
winsome: charming
wud: mad

X

eXpensive: extravagant
eXtraordinar: extraordinary
eXceptional: exemplary

Y

yammerin: crying out, fretful
yatterin: chattering
yeukie: shabby or itchy
yivverin: very excited
yowlin: wailing

Z

biZZin: bustling, rushing about
bumbaZed: astonished
froZent: freezing cold

Wee Eck wis A B,
That stayed in Dundee.
Wan day he woke up
An he cudna richt C.
He wis up tae high doh,
He wis feart he wid D,
Tho aw that wis wrang
Wis a clart in his E.
F tir bizzin aboot
In a richt tirrivee,
He flew oot the hoose,
For the door wis a G.
The wind in his face
Blew the clart clean awa,
But it didna stop there,
It blew wee
Eck an aw.

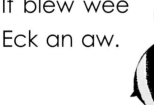

Noo Eck wis an artist,
He'd paint an he'd H,
An wis I on the look-oot
For things he cud sketch.
Weel, a circus cam by
An they asked him tae Jn,
Tae draw in the croods
Wi his pictures sae fine.

Noo this micht be braw,
But whit wisna oK
Wis missin his hame
On the banks o the Tay:
"L hae tae gang back,
M hert-seik for Dundee!"
He wis at his wits' N,
O he wished he wis free!
An whit wis mair urgent,
He needit a P.
"Hey, nae lowpin the Q,
Ye R no afore me!"
Said a crabbit auld wasp
Tae the puir
bummlin
bee.

The circus wis thrang
Frae dawn until nicht:
Wee Eck wis pure wabbit -
He cudna think richt.
He had tae confS
Aw he wantit tae be
Wis hame in his hoose
Sittin doon tae his T.
Syne the wind changed its airt,
An cam by like a jet,
An drappit him aff
At his ain gairden yett.

Noo whit dae U think?
Wid ye mibbe agree
He wis richt tae declare,
"Michty me! C'est la V!"

There's nae mair tae tell
O that glaikit wee bee,
But tae finish this rhyme,
Tak a keek an ye'll see
W's in the mirror,
An X in his bed,
Wi his mooth open Yd
Gaun ZZZz!

Eck's Exercises

1. Answer these in English or in Scots:

   a. Whit wis wrang wi Eck's ee?
   b. Whit for did the wasp gie Eck a row?
   c. Whit did Eck dae in the circus?
   d. Whit wey did he no want tae bide there?
   e. Hoo did he get hame?

3. Find the phrases in the poem that mean the same as these English anes:

   a. In a terrible state
   b. As well
   c. Little Eck was very tired
   d. The wind changed direction
   e. Garden gate

2. Wee Eck comes fae Dundee.
   Fowk in Dundee aften mak "I" soond lik "eh".

   a. Draw yer ain picture o Eck an write in the bubble
      hoo Eck wid say , "I wid like a pie"
   b. Whit does Eck say in the poem that tells us he is fae Dundee?

4. Eck's smert at yaisin a letter tae mean a haill word or a bit o a word. This is whit fowk dae when they send text messages tae their pals. Can ye work oot whit these anes say? An can ye mak up some o yer ain?

   a. Whit Y R U no answerN ?   b. Can U C the C ?
   c. Nae Y!   d. I 8 a haill can O Bns, N a Gly Pce
   e. C UU Fter scuil.

5. Whit does "W's in the mirror" mean?

6. Whit maks this poem funny? Is it the things Eck can dae? Is it the wey the letters are yaised as words? Or is there onything else that maks ye laugh?
   Write doon three or fower sentences tae say whit ye think.

Aw Aboot Bees

Wee Eck is a byordinar bee, is he no? But aw bees are mervels! Whiles, they are cried bumbees, for they mak a bummin soond. Wild bees are cried foggie bees.

Did ye ken ...?

Bumbees mak nests. Whiles, they bide in man-made nests or bykes. Foggie bees mak their ain bykes. Up tae eichty thoosan bees micht bide in ae byke!

Bumbees hae hairy legs. The hairs brush pollen aff the flooers. Then the bees gaither up the pollen intae a wee pooch on their leg. They tak the pollen back tae feed the wee bairn-bees in the byke.

Bumbees can veesit ten thoosan flooers in ae day. A bumbee taks aboot ten jaunts a day. Each time it gaes oot, it sooks the nectar, the hinny in plants frae a thoosan flooers.

Bumbees hae lang tongues. They need them tae sook the nectar frae deep doon in the flooers.

Bumbees can dance. When they get hame, they dance on the tap o their byke. They are drummin tae tell the ither bees whaur tae find the best flooers.

Bumbees live for jist six weeks. Ainly the Heid Bummer, the Queen Bee, lives langer. She never leaves hame but spends the five year o her life in the byke layin thoosans o eggs. The ither bees feed her the verra best - Royal Jeelly!

Here are some limericks aboot bees,
but some o the words are missin.

Can ye fill them in?

There wis a bauld bumbee cried Hector
Wha aince took a scunner tae __Nectar__
He wid land on a rose
An jist turn up his __nose__
But noo he's turnt intae a spectre!

A bonnie wee bumbee cried Mary
Had legs that were lang, broon an __hairy__
Ae day in a fyke,
She fell aff her __byke__
An noo she's a wee bit mair wary!

Last year wis a cauld, rainy summer.
The bumbees got glummer an glummer:
Except fur Big Rosie!
She grew fat an fozie
An then got electit __Heid Bummer__!

Ither Beasties

The Horniegolach

The horniegolach's an awesome beast,
Soople an scaly;
It has twa horns, an a hantle o feet,
An a forkie tailie.

1. Draw a picture o whit ye think a horniegolach is.

2. Tae see whit a horniegolach really is, find the English words that mean the same as the Scots words for six ither beasties, an print them in the boxes. The word readin DOON in the shaded boxes gies ye the answer.

DADDY LANG-LEGS S L A T E R

KAILWORM K a l l W O R M

CLEG r

SLATER W

ATTERCAP i

MAUK C l e g

English Words

spider, cranefly, caterpillar, woodlouse,
maggot, horsefly

3. Here are fower pictures o beasties, wi their Scots names.
   Can ye guess which is which frae their names?

DEIL'S DARNIN NEEDLE   JECKY FORTY-FEET

HAIRY GRANNIE   REIDCOAT

a.

b.

c.

d.

4. Dae ye ken their English names? Write them in yer jotter.

Aw Aboot Food

On the nixt pages ye'll find a poem aboot things ye can eat, an a story written by something ye eat! When ye hae read them, ye'll get a chance tae write yer ain poem or story aboot food.

Skinnymalinkie Kirsty

Dae ye ken Kirsty Jean? She's as skinny as a preen:
She cud easily slip doon a cundie.
She is gleg on her feet, but she canna hauf EAT!
She jist gobbles frae Monday tae Sunday.

She aye lowps oot o bed in her rush tae get fed,
An she glugs doon a haill joug o juice,
Then some parritch wi cream an vanilla ice-cream
An a carton o raspberry mousse.

Tae strengthen her legs she has twa saft-biled eggs
An then, if she's no in a hurry,
Hauf a pun o reekit ham wi a quarter o spam
An some left-ower cairry-oot curry.

When she's eaten her fill, she gaes aff tae the scuil
Wi the laddie nixt door wha's her crony.
At playtime they share seiven aipples, a pear
An a platefu o cauld macaroni.

At her lunch oor she'll sink a bowel o Cullen Skink,
Fower bannocks an twa tattie scones,
Cockaleekie wi chapatis, then a plate o mince an tatties,
A banana split an three ice-cream cones.

For her tea she gets tae grips wi a pie an beans an chips,
Pope's Eye steak wi a wee tait o mustart,
Champit tatties, neeps an kail wi a leg o roastit quail
Aw washed doon wi a hauf-pint o custart.

She is gey stappit noo, but has chicken vindaloo:
By the end o that her mooth an tongue are stingin!
There's nae room for muckle mair, for her belly's gettin sair:
Weel, forby a puddin supper wi an ingan!

If ye ask her hoo it feels tae eat such muckle meals,
This is whit wee kibble Kirsty has tae say:
"I hae wee skinny hips for snashters never pass ma lips!
An I ainly eat ae single meal aw day!"

1. Here are some o the things Kirsty ate.

The words for them are written in English an the letters in the Scots words are aw heeliegoleerie. Sort them oot tae find oot whit they are:

chicken soup : CKLEEEIOCAK   : _ _ _ _ _ _ _ _ _ _ _

fish soup : LCUNEL KIKSN   : _ _ _ _ _ _   _ _ _ _ _

potato scones : AETTTI SSOCEN   : _ _ _ _ _ _   _ _ _ _ _ _

mashed potatoes : PMHAICT STIETTA   : _ _ _ _ _ _ _   _ _ _ _ _ _ _

porridge : RPIRHCAT   : _ _ _ _ _ _ _ _

turnips : PENSE   : _ _ _ _ _

cabbage : LIAK   : _ _ _ _

2. 'Snashters' is a guid word for 'junk food'. Mibbe Kirsty wid get sair teeth if she ate sweeties, like gobstoppers, or Embro rock, or soor plooms or strippit baws. Find oot whit kind o sweeties these are. (Ye micht need tae ask an aulder person. If ye dae, ask them if they mind ony ither kinds o sweeties, an write the names doon.)

3. There are some Scots words in this poem that are awmaist exactly the same as the same words in English, but they are spelt a wee bit different. This is because they are pronoonced in a different wey, like 'joug' for 'jug' Write doon as mony words that ye can find in the poem that are like this.

4. Mak a list o aw the things ye eat in a day, for breakfast, lunch, tea an supper (an in between meals tae!). Try tae yaise as mony Scots words as ye can. The poem helps ye wi words for porridge, apples, potatoes, custard, onions, turnips an cabbage. Underline aw the Scots words ye pit in yer list. Dae ye think there are Scots words for food that ye DINNA ken? How wid ye set aboot discoverin whit they micht be?

Bausy Bean

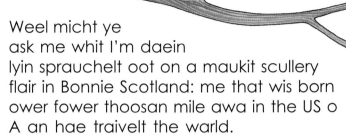

Weel micht ye
ask me whit I'm daein
lyin sprauchelt oot on a maukit scullery
flair in Bonnie Scotland: me that wis born
ower fower thoosan mile awa in the US o
A an hae traivelt the warld.

Naebody kent, when I wis a
bairn, that I wis a byordinar bean. I
wis jist like aw the ither beans in oor field -
as like as twa peas, or raither, beans in a
pod. There were thoosans - naw, zillions o us,
aw the very same, like clones. We grew up fast, for the sun shone near
every day an the rain wis aye saft an douce like a hot shooer. Ae day, a
tornado blootert a lot o ma freens an relations, but no me. I'm a survivor!

The day o the tornado wis the day I kent I wis byordinar, for I fund oot I
wis a real skeelie bean: I cud lowp! When the wund stertit tae blouster
roon an hailstanes stertit tae tap-dance on oor pod, I gied a muckle lowp
an the haill pod, wi me an aw ma brithers an sisters, wheecht roon intae
the bield o oor maw's teuchest leaves. We were safe an I wis a hero!

That wis hoo ah got ma name, Bausy. But we werena safe for lang. A
fortnicht efter, we heard this unco racket. It wis like an airmy comin tae
get us - an it wis; an airmy o muckle machines wi steel jaws an teeth like
dinosaurs. We cooried intae oor maw, but it wis nae guid. Afore we kent
whit wis happenin, we were heels-ower-gowdie in yon machine's belly.
Worse, its belly had birlin knives in it that stripped the pod clean aff us then
spat us oot - bare nakit - intae a trailer. The sun wis birslin hot an I wis feart
I wid get sunburnt sae I gied a guid lowp an landit unnerneath the ither
beans tae save ma skin. Nixt thing I kent, we were stecht intae a muckle
lorry. We were sair jurmummelt in the twa oors it took tae reach oor
destination an some o us were gey bashed an battert. We were deein for
a braith o caller air by the time we stopped, but the air wisna caller: it wis
mingin, lik a mixter-maxter o bilin kail an neeps an hot spices.

We were brocht intae a scullery that lookit like a science lab and hunners o humungous pats were simmerin awa. When it cam tae oor turn, I gied ane o ma famous lowps - an landit richt bang in the middle o a pat o bilin watter. Fowk in white coats poored aboot a kilo o saut in aside us an it fair nipped ma een. We rummled aboot in yon pat for aboot twa oors. Ah wis gey feart ma bonnie skin wid get aw wrunkelt. Tomaties, ingans an sugar were bunged in alang wi us - an unco poothers wi names like Potassium Chloride, an a scaddin reid poother cried Paprika. Whit a heeliegoleerie!

Were we no joco when they turnt the heat aff an let us cool doon! Hooever, worse wis tae come. Efter yon, I didna see daylicht for six months, for the haill mixter-maxter wis poored intae tin cans an we were aw stecht intae muckle cardboard boxes an then stowed in a container ship.

A lot o us had the sea-wammle when we crossed the Atlantic. Then we had mair traivellin tae dae on mair muckle lorries. Efter that, we sat for seiventeen days on a supermercat shelf till somebody bocht us an took us hame.

Noo, here I am an whit wey am I lyin on this scullery flair? Weel, when oor can wis opened an I saw daylicht again, I lowped for joy! An, insteid o landin in the pat, I landit on this flair.

Aw naw! Whit's yon? A lang pink tongue an a blinterin black neb an twa hairy lugs - an Ah dinna hae the smeddum tae gie anither lowp. . .

Help ma Boab!
I think I'm aboot tae become
a has-bean!

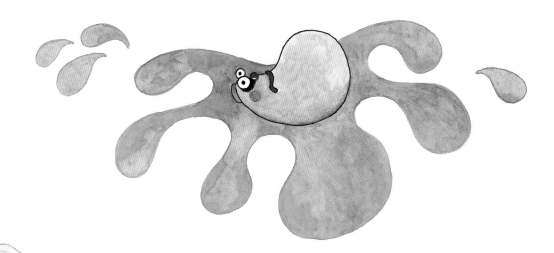

Am I Richt Or A Meringue?

Your job noo is tae write yer ain wee story (or a poem if ye like) aboot some kind o food. Ye can dae it aw by yersel or ye can write aboot a meringue, yaisin the notes below tae help ye oot. Mind ye hae tell the story like **Bausy Bean**, as if it wis the food that wis writin it!

Dae ye get Eck's joke?

The life story o a meringue

Stage 1

A meringue is made oot o eggs an sugar. We aw ken whaur eggs come frae! Efter they come oot the hen, they are pit intae a cardboard box an taen tae the supermercat. Somebody buys them an pits them in the fridge.

Stage 2

Twa-three eggs are taen oot the fridge.
They get cracked wi a sherp knife intae a bowel.
The whites o the egg are kept an the yolks are either kept for anither recipe or thrown awa.
The egg whites are whiskit up till they are that stiff they canna drap oot the bowel when the bowel is turnt tapsalteerie.
Sugar is added a wee drap at a time.

Stage 3

A spoonfu o this mixture maks ane meringue.
The raw meringues are spooned on tae a metal bakin sheet.
They sit there in a warm oven (no hot!) for fower oors.
They are brocht oot an left tae cool.
They get sandwiched thegither wi cream.
They end up oan a plate for fowk tae eat.

Guid luck wi yer story or poem!

Edible Riddles

Can ye find the food or drink hidden in these riddles?

1. This ane's a skoosh!

Ma first is in egg an in hot dug as weel;
Ma saicont's in aipple but never in peel;
Ma third is in neep an in saumon an ingan,
Ma fourth's no in maukit, but ayeweys in mingin!
Ma fifth turns up five times in *ae jeelly piece*;
Ma last's no in pie, but in bridie an creesh!

2. This food is lost amang some beasts!
Clue: it's maistly tatties an gey tasty!

Ma first is in moose, no in reidcoat nor rat,
Ma saicont's in kittlin* as weel as in cat.
Ma third is in tod* an in puddock* an coo,
Ma fourth is in veeper* - but no in Peru!
Ma fifth is in mowdiewort*, aboot in the middle.
By noo, ye are close tae the end o this riddle!
Ma sixth is in houlet** as weel as in eel,
An last, ye will find me in gowdspink** an seal!

* kittlin: kitten
* tod: fox
* puddock: frog
* veeper: viper
* mowdiewort: mole

** houlet and gowdspink
   *if ye dinna ken whit these
   are, ye can find oot by
   daein the wordsearch on
   page 30*

3. This food is lost in body pairts! Yuk!

Yer first is in haun as weel as in chist,
Yer saicont's in airm but isna in wrist,
Yer third is in leg, but it's no in yer belly,
Yer fourth is in lug, no in marra bane jelly!
Yer fifth's in yer heid an yer fit an yer chin
Yer sixth is in banes, but no in jist yin!

The Twins

Hannah an Elizabeth are freens o Eck. They are twins. They are near identical, but they aye try tae look as different as they can. Can ye spot the differences?

Hannah

Elizabeth

Copy the sentences below intae yer jotter. Each time ye hae a choice, pick the richt word.

a. Hannah an Elizabeth are twin laddies/lassies.
b. They baith hae lang/short broon/fair hair.
c. Hannah/Elizabeth has a reid bow in her hair.
d. Hannah's hair-shed is on the richt/left side o her heid.
e. Hannah is wearin reid/broon shoon on her feet.
f. Elizabeth has blae/green breeks.
g. Hannah's sark is strippit/flooery.
h. Elizabeth/Hannah cairries a bag ower her left/richt shouther.
i. Hannah/Elizabeth has fernietickles oan her neb.
j. Elizabeth/Hannah has her left/richt haun in her pooch.
k. Eck is staunin on Elizabeth's airm/haun.
l. Hannah/Elizabeth has a cat aneath her oxter/fit.

Noo pick somebody in yer class and write some sentences tae describe *them*.

Grannie Bashin'

Hae ye ever seen a picture o a grannie
In a book that has been written jist for weans?
A wee grey-heidit craitur, auld an cannie,
Wi a peenie, bun an specs – it blaws ma brains!

For ma grannie, though she's proper in her mainners,
(She's been kent tae dish oot daidlies for oor claes)
Aften wears a pair o scruffy, mingin trainers
Ower the skinklin pearly varnish on her taes.

Her hair is lang an reid an – maistly – tidy.
Naw, she disna hae a bun held up wi preens!
Ye should see her when she gaes oot on a Friday
In a T-shirt an a pair o denim jeans.

Bakin cakes, she says, is jist an awfie footer,
An tae save her life she cudna knit a sock,
But she'll sit for oors an play wi her computer
Wi a can o Irn Bru or diet coke.

Last week she gaed an bocht hersel a mini.
Ah wis mortified at such a fell disgrace.
"Ye see," says she, "ma legs are braw an skinny:
Fowk'll notice them an no ma wrunkelt face."

If ye try tae hae a quait word wi the hizzie,
She acts as if she'd jist new turnt stane deif,
An forby, the noo she's really awfie busy –
She's aff tae scuba-dive in Tenerife.

Dae ye hae a grannie or a granpa?
Are they like this grannie?

Write a wee story tae tell fowk whit yer grannie or granpa (or onybody ye ken that's grannie or granpa-age, like a neebor) is like.

Ye cud write aboot:
- their face an hair
- the claes they wear
- the hoose they stay in
- whit they dae at work
- whit they dae for hobbies
- whaur they gae on their holidays

ECK SAYS: "If ye're stuck, hae a look back at pages 5, 6 & 7 for words that describe fowk."

Eck's Canadian Cousins

Eck's wee cousins fra Canada, Wayne an Sam, are on holiday in Scotland.

They canna unnerstaun aw the things they hear fowk sayin. Can ye help them oot by matchin the Scots phrases tae the English anes?

Yon dug's mingin
Ah'm fair wabbit
Ma maw's awfie crabbit the day
Ma faither's daein the messages
Yon Sharon's a gallus wee besom

My father is out shopping
My mum is very cross today
That Sharon is a wild little rascal
That dog is very smelly
I am exhausted

Gie us a haun wi this
The baw's on the slates
She's fae Aiberdeen
Parritch scunners me
It's an awfie dreich day

It's a very dull, miserable day
Help me with this
Porridge makes me sick
She's from Aberdeen
We're in trouble

I've got a sair heid
I've a dreep at ma neb
I've got the cauld
The wean's greetin
Ye're lookin a wee bit peeliewallie

I've a drip at my nose
The baby's crying
You're looking a bit pale
I have a headache
I have a cold

Ma buits are clarty
Ma wee brither's a neep-heid
Champit tatties
Ma breeks are maukit
Yer neb's aw fernietickles

Mashed potatoes
Your nose is covered with freckles
My boots are filthy
My little brother's stupid
My trousers are filthy

Gie's a brek
Haud yer wheesht the noo
Ma wee sister's no weel
We're gaun tae Glesca the morn
Whiles Ah paddle in yon burn

Keep quiet just now
We are going to Glasgow tomorrow
Give me a break
Sometimes I wade in that stream
My little sister is unwell

Oor gairden's fou o speugs
Ah've got a skelf in ma pinkie
Pit it aneath yer oxter
The grun's ower saft for fitbaw
Oor neebor's gey fantoosh

I've a splinter in my little finger
Our garden is full of sparrows
The ground is too soft for football
Our neighbour is rather posh
Put it under your armpit

Wear yer auld claes
Ma jumper's gey ticht
Ma heid's birlin
Dae ye want ony ginger?
Wid ye like a sweetie?

I feel dizzy
Wear your old clothes
Would you like some pop?
Would you like a sweet?
My sweater is very tight

See's a go on yer bike
That's braw!
Ma pal Geordie's awfie nebbie
Ye're no feart, are ye?
Hou auld are ye?

How old are you?
My friend George is very cheeky
You're not afraid, are you?
That's brilliant!
Give me a shot on your bicycle

Burd Sang

The Three Craws

Three craws sat upon a waw,
Sat upon a wa, sat upon a waw,
Three craws sat upon a waw,
On a cauld an frosty mornin.

The first craw wis greetin for his maw,
Greetin for his maw, greetin for his maw,
The first craw wis greetin for his maw,
On a cauld an frosty mornin.

The saicont craw fell an brak his jaw,
Fell an brak his jaw, fell an brak his jaw,
The saicont craw fell an brak his jaw,
On a cauld an frosty mornin.

The third craw cudna flee at aw,
Cudna flee at aw, cudna flee at aw,
The third craw cudna flee at aw,
On a cauld an frosty mornin.

It wid be fun tae mak a sang like this aboot ither burds. Like this:

Fower doos had a barbecue,
Had a barbecue, had a barbecue,
Fower doos had a barbecue,
On a cauld an frosty mornin.

The first doo wis learnin hoo tae coo
Learnin hoo tae coo, learnin hoo tae coo
The first doo was learnin hoo tae coo
On a cauld an frosty mornin.

Hae a go! Pick either speugs or doos an write a sang!
Ye can mak as mony verses as ye like.

Tae gie ye a wee haun, here are twa lists
o words that rhyme (in Scots an English):

DOO RHYMES

adieu, ado
blue, barbecue, boo!, boo-hoo,
brew, buroo
canoe, chew, clue, cockatoo,
coo, crew
few, flew, flu, fou
glue, grue
Hindu, hoo, horseshoe
lassoo, loo
moo, mou
new, noo, the noo
parlez-vous, peekaboo, Peru, pooh!
queue
Renfrew, rue
shampoo, Sioux, skidoo, spew, Sue
tattoo, through, to-do, too,
toodle-oo, true, two
untrue
view
you
zoo

SPEUG RHYMES

bug
chug, chug-a-lug
Doug, doodle-bug, drug, dug
fug
glug
hug
jug
ladybug, lug
mug
plug, pug
rug
slug, Shug, smug
thug, tug
ugly-bug, ugh!

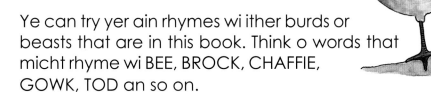

Ye can try yer ain rhymes wi ither burds or
beasts that are in this book. Think o words that
micht rhyme wi BEE, BROCK, CHAFFIE,
GOWK, TOD an so on.

Burd Wordsearch

Noo, here are Scots names for 12 burds. Find them in the wordsearch, then match them up wi their English names:

Scots Words

blackie, stirling, craw, doo, whaup, peeweet, houlet, gowdspink, chaffie, speug, gowk, sea maw.

G	G	N	I	L	R	I	T	S
O	S	C	H	A	F	F	I	E
W	E	I	K	C	A	L	B	P
D	W	G	U	E	P	S	P	E
S	A	W	S	N	O	U	G	E
P	M	A	T	O	A	O	O	W
I	A	R	D	H	W	S	W	E
N	E	C	W	K	N	T	T	E
K	S	T	E	L	U	O	H	T

English Words

Blackbird blackie   Sparrow speug

Crow craw   Chaffinch chaffie

Curlew whaup   Cuckoo gowk

Lapwing peeweet   Goldfinch gowdspink

Pigeon doo   Owl houlet

                        Sea gull sea maw

                        Starling stirling

Eck's Ootdoor Exercises

Eck flees aboot everywhaur on his traivels. Yesterday he wis in the **country**, the day afore that he wis in the **toun**.

In the wordsearch, find these English words for the things Eck saw on his dauner through the **country**:

English Words

stream, grass, oak tree, cherry tree, daisies, farm, cow, birds, pig, mud, wall, sheep, birch tree, woods, lake, badger, mole, fox.

D	E	E	R	T	K	A	O	E	G	S
C	A	R	X	L	L	A	W	R	D	W
H	S	I	G	O	J	C	A	R	O	E
E	A	I	S	P	F	S	I	O	K	E
R	P	X	M	I	S	B	D	L	M	R
R	O	P	O	N	E	S	R	A	J	T
Y	L	E	L	K	D	S	E	A	S	H
T	A	E	E	U	R	R	T	I	X	C
R	K	H	M	H	T	M	R	A	F	R
E	E	S	K	S	O	W	O	C	U	I
E	I	B	A	D	G	E	R	W	H	B

Noo match them up wi these Scots Words:

aik tree, brock, burn, birk, burds, coo, dyke, ferm, gean, glaur, gowans, gress, grumphie, loch, mowdiewort, tod, wuids, yowes.

Eck's Ootdoor Exercises

This is whit Eck saw on his dauner through the **toun**:

Scots Words

hooses, brig, kirk, chaipel, lichts, claes shop, polis station, roondaboot, High Scuil, mosque, puggie, supermercat, flooer bed, windaes, Buroo, chippie, lums.

Find these in the wordsearch.

T	O	C	L	A	E	S	S	H	O	P	N
A	L	S	T	H	C	I	L	E	C	O	Y
C	I	L	K	R	I	K	U	H	I	U	T
R	U	S	R	A	U	Q	A	T	P	E	F
E	C	E	S	M	S	I	A	L	U	E	L
M	S	S	B	O	P	T	G	S	G	I	O
R	H	O	M	E	S	B	M	F	G	P	O
E	G	O	L	S	T	U	R	M	I	P	E
P	I	H	I	A	L	F	P	I	E	I	R
U	H	L	H	O	O	R	U	B	G	H	B
S	O	W	I	N	D	A	E	S	L	C	E
P	R	O	O	N	D	A	B	O	O	T	D

Noo match them up wi these **English Words**:

bridge, cash-dispenser, chapel, chimneys, chip shop, church, clothes shop, Employment Agency, flower bed, High School, houses, houses, lights, mosque, police station, roundabout, supermarket, windows.

Orra Ane Oot!

Dae ye ken the word 'orra'? It means 'odd' or 'unusual'. An orra man or an orra loun is an odd job man.

In each group o fower words, there are three that mean near the same, an ane that's an orra ane. Find the orra ane an pit it in yer jotter sayin hoo it is different frae the ither three words. Look back at pages 5, 6 & 7 for help.

mingin, douce, clarty, ugsome

gleg, eident, tentie, fozie

jimp, wee-boukit, shilpit, bausy

timmer, blate, yammerin, quait

thrawn, eedle-doddle, rigwiddie, ramstam

greetin-faced, disjaskit, dowie, joco

winsome, crabbit, ill-faured, ramgunshoch

blate, vauntie, crouse, vogie

pookit, gawsie, undeemous, muckle-boukit

radge, mim-moued, bee-heidit, skeerie

eldritch, orra, unco-like, ordinar

stieve, kibble, dwaiblie, stuffie

canty, grugous, scunnert, dowie

Eck the Spy

Gie Eck a haun tae crack the code an find oot whit the messages say.

CODE	a	b	c	d	e	f	g	h	i	j	k	l	m
	=	^	#	+	†	'	<	>	/	(	)	:	¦
	n	o	p	q	r	s	t	u	v	w	x	y	z
	~	!	\	$	¬	|	[	]	±	‹	›	-	°

1. </†| -†¬   #¬=#)

＿＿＿＿＿　＿＿＿　＿＿＿＿＿

2. [=)   [†~[

＿＿＿　＿＿＿＿

3. ‹/::   -†   +¬=\   /~   !~   ¦†   [>†   ~/#>[?

＿＿＿＿　＿＿　＿＿＿＿　＿＿　＿＿　＿＿　＿＿＿　＿＿＿＿＿?

4. #=~   -†   []¦¦:†   -†¬   ‹]:)/†|?

＿＿＿　＿＿　＿＿＿＿＿＿　＿＿＿　＿＿＿＿＿＿?

5. -†¬   ~†^   /| +¬††\/~

＿＿＿　＿＿＿　＿＿　＿＿＿＿＿＿

Noo, match each message up wi the English phrase that means the same.

Message No:

Pay attention	3
Will you call in to see me tonight?	4
Your nose is dripping	1
Can you turn a somersault?	5
Give me your news	2

Eck the Makar

MAKAR is an auld Scots word meanin a poet.
(It rhymes wi CRACKER.)

Why dae ye think a poet wid be cried a makar?

Wee Eck is ettlin tae write a poem, but he canna fin words tae rhyme.

Can ye gie him a haun?

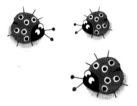

(Ye'll find aw the words Eck needs on pages 5,6 & 7)

He needs a word tae rhyme wi:

He needs a word tae rhyme wi:	Meanin.....	Write it here!
rabbit	bad-tempered	c ....
habit	tired	w ....
auntie	cheerful	c ....
grannie	careful	c ....
jaicket	daft	g ....
egg	smart	g ....
puss	gentle	d ....

moose	proud	c ....
smartie	filthy	c ....
Sally	pale	p ....
Susie	wild and rough	t ....
mate	quiet	q ....
bud	mad	w ....
jaunty	proud looking	v ....
dug	ear	l ....
twice	clever	w ....
shiverin	very excited	y ....
nibble	sturdy	k ....
peenie	old-fashioned	a ....
wreckless	useless	f ....
poor	stubborn	d ....
chiel (a fellow)	honest	l ....
battery	bad-tempered	n ....
dull and dreary	topsy-turvy	h ....
tumphie (cry baby)	smelly	h ....
basket	fed up	d ....
mooth	thirst	d ....

Noo see if ye can help Eck oot some mair.

Mak up sets o twa lines that rhyme. For example:

In the wuids, wee Eck was waunert.
That's because wee Eck is daunert!

Mibbe ye cud manage a haill poem like this. Hae a go!

Eck's Pairty

It wis a dreich Saturday mornin an Eck wis a wee bit disjaskit. He wished aw his circus freens were in Dundee tae cheer him up.

Suddenly, he had a brainwave: he wid hae a humungous pairty an invite aw the circus fowk an aw his ither freens as weel! Richt awa, he got oot his pencil an paper an made a list o aw the pals he wantit tae invite:

- The circus clowns
- Sam the Ring Maister
- Zak and Zoe the tichtrope walkers
- Skinnymalinkie Kirstie
- The three craws
- The twins, Hannah an Elizabeth
- The Andrasara Acrobats
- Wayne and Sam, his Canadian cousins
- Jamie the Jougler
- The bumbees; Hector, Mary an Big Rosie (noo the Heid Bummer)
- His grannie?

(He pit a question merk at his grannie for he wis feart she wid mibbe turn up in her mini an gie him a reid neck!)

"Noo, whit dae I dae ?" he asked himsel, for Eck had never organised a pairty in his life!

He had anither brainwave! He phoned the hilty-skilty twins, Elizabeth an Hannah, tae come roon an help him wi his plans. Hauf an oor later, the three o them were sittin at Eck's kitchen table drinkin ginger an yatterin nineteen tae the dizzen.

"Whaur dae we stert?" Eck asked.

"Invitations," said ane.

"Food," said the ither.

"Games an music: pairty poppers, pairty pokes, balloons, paper hats, " they said thegither.

Eck's heid wis birlin. "Gie's a brek! Ane at a time!", he said.

"I ken!" said Hannah."Ye stert wi a theme! Aw the best pairties hae a theme. We cud aw dress up as pirates an hae a Treasure Hunt."

"Or," said Elizabeth, "we cud aw dress up as fitbaw players an hae a game o fitbaw!"

"I've got it!" cried Eck. "I'm a bee, sae we'll aw dress up as somethin stertin wi B an then we'll hae a competition tae see wha guesses the maist!"

"Brill!" said Hannah.

"Braw!", said Elizabeth an added, "An aw the food cud stert wi B as weel!"

"Brill!," said Hannah.

"Braw!" said Eck. "An the twa o ye can gie me a haun wi the invitations. I'll dae the drawin an ye can dae yer best jined-up writin !"

For the rest o the day, they sat like busy bees (weel, the twins did, for Eck WIS a busy bee!) eidently writin an drawin quirky invitations. Here's whit ane o them looked like:

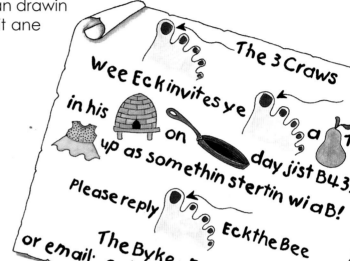

The nicht afore the pairty, Eck cudna sleep a wink. He woke up at seiven, yivverin aboot aw the things he had tae prepare. Hannah an Elizabeth gaed tae the supermercat an cam back wi their airms near brekkin.

They had bocht aw the things they cud find beginnin wi B: bananas, breid, blaeberry ice cream, blackcurrant juice, bannocks, butter, blue cheese, blades o lettuce, biled eggs, blackcurrant jeely, broth, bizzin ginger, baps, buns, biscuits, buttermilk, beef, black puddins, bran scones, bridies,boilings, bools, beans, bacon, beansprouts, Brussels sprouts, bramble jeely, black bun, butteries, bangers, beetroot, burgers, breid an butter puddin, broccoli an Brazil nuts.

Eck wis bumbazed!

"We'll never eat aw that!" he said.

"Skinnymalinkie Kirstie will!" said Elizabeth.

The twins set oot aw the food on fantoosh plates afore they gaed hame tae get dressed up. Eck vacuumed the carpet an then had a bath afore he pit on his costume: denim jeans, a T-shirt, trainers an a baseball bunnet back tae front. He wis dressin up as a BOY! An because he was a BOY an no a LADDIE, he wis gaun tae speak English as pairt o his disguise!

He had jist brushed his teeth when there wis a chap at the door. He hurried doon tae open it but – there wis naebody there! He looked aw roon an wis jist gaun back inside when somebody yelled, "Hi there, dae ye ken Eck the Bee?" He looked up – an there, balancin on his claes rope were twa undeemous butteries. Their wings were bricht blue wi big yella spots an their antennae were glitterin gowd. Whit a sicht they were!

"We're invited tae a pairty at Eck's hoose. Is this it?"

"Yes, this is Eck's house," laughed the sleekit wee Eck, an added, "Eck's having a shower!"

Nae sooner were they inside when there wis anither chap at the door an in cam a haill bunch o yatterin yella bananas, tummlin their wulkies, staunin on their heids, lowpin on tae ane anither's shouthers an birlin like peeries. Eck kent fine wha they were – but they didna ken him, sae he tellt them tae that Eck wis still in the shooer!

Nixt cam a braw bride but there wisna a bridegroom wi her. Insteid, there wis a bridie that looked guid enough tae eat! Eck kent them tae, for he spotted the fernietickles oan the bridie's neb!

Afore they even said "hello", an awfie flutterin wis heard at the windae. When Eck opened it, twa muckle-boukit blackies flew in, wi anither ane hirplin ahint them. They looked a wee bit raivelt, for the yella pent on their beaks wis gey streaky an some o it had dreeped on tae their chists.

Anither chap at the door brocht a basebaw player wi a baw as big as himsel. They were bletherin tae a nebbie wee black puddin. ("Trust her tae come as somethin tae eat!" thocht Eck).

Eck by noo kent wha awbody wis – but naebody jaloused wha "the boy" wis!

"Batman's at the door wi a bouquet for Eck!" yelled a voice ootside, an in cam an orra-lookin Batman, wearin a croon an cairryin a muckle bouquet o bluebells an begonias, - an the bouquet had ae leg in a stookie! Perched on Batman's shouther wis a wee shilpit bogle that didna want tae be near the flooers for he wis allergic tae nectar!

"Whaur's Eck? Whaur's Eck?" awbody wis askin. "He's missin aw the fun!"

An Eck the Boy laughed an jined in the shoutin, except that he took guid care tay say, "He's missing all the fun!"

"Look!" said ane o the bananas, "There's a haill airmy o balloons comin doon the street!"

Aw the muckle balloons had dizzens o wee balloons tied tae their airms an legs. They dirled an danced tae Eck's door, they played tricks on ane anither, they stood on their heids an lowped in the air. They looked like a balloonosaurus gaun radge! Richt ahint them wis a ballerina wi a big belly, bawlin oot, "Roll up! Roll up! The circus is in toun!" an a bubblyjock jouglin bean bags an playin the bagpipes. Whit a stramash! The haill street cam oot tae look.

When aw the racket had deed doon, awbody stertit tae fret aboot Eck. "Whaur is he? Has he slipped doon the plughole? Whit wey is he takin sae lang?" they said.

Eck "the boy" said he wid gae an find oot. When he cam back, he said, Eck is just drying his lu...er... ears, but he would like you to start the first game – to guess who everyone is!"

Weel, as ye can imagine, they guessed awbody: awbody, that is, forby ane wee boy. Hannah an Elizabeth had brocht oot the list o guests an ticked awbody aff ane by ane. Only then did it dawn on them aw that the gleg wee boy was nane ither than Eck the kenspeckle bee an he had been there aw alang!

"Eck! It wis you aw the time! Ye're a sleekit wee skellum!" they cried.

"You mean I'm a sly little rascal!" laughed Eck.

"An when did ye learn tae speak English?" Big Rosie asked.

"Me?" said Eck. "I'm no bee-heidit, ye ken. I'm bilingual!"

"Dae ye no mean bee-lingual?" said his Canadian cousins.

The clowns lifted Eck heich on their shouthers sae that Eck looked as if he wis floatin on a cloud o balloons, an they shoutit, "Let's hear it for Eck the braw, byordinar, bilingual, bee! Three cheers for Eck! Hip Hip Hoorah! Hip Hip Hoorah! Hip Hip Hoorah!"

Then they aw tucked intae the food. The bubblyjock pit awa his bagpipes an brocht oot his new guitar while the bouquet played the drums. The ballerina asked the bride tae dance. The butterflees gaed oot tae the gairden an flichtered up an doon the claes rope. Big Rosie sat, crouse an canty, watchin Wayne an Sam teachin the ithers hoo tae play basebaw. The black puddin never left the table till aw the food wis feenished. The bridie tummelt her wulkies wi the bananas an Eck never cam doon frae the cloud o balloons! There wis never in aw the warld a party lik yon.

1. Can YOU guess whit awbody wis dressed up as at Eck's pairty? There are plenty o clues!
2. Somebody didna come tae the pairty. Can ye work oot wha it wis?
3. Mibbe you wid like tae hae a theme pairty like Eck's. Ye cud imagine ane, onywey!

    ● Mak an invitation.

    ● Think o a letter an at least ten things stertin wi that letter that fowk cud dress up as.

    ● Think o at least ten kinds o food stertin wi that letter.

Mind an yaise as mony Scots words as ye can!

Eck's Answers

page 11
1. a. He had a clart in it. b. For lowpin the Q (queue). c. Tae draw in the croods. d. He wis missin his hame. e. The wind blew him hame.
2. a. "up tae high doh" or "in a richt tirrivee". b. "an aw". c. "Wee Eck wis pure wabbit". d. "the wind changed its airt". e. "gairden yett".
3. a. "Eh wid like a peh." b. "L (Eh'll) hae tae gang back, M (Eh'm) hert-seik for Dundee".
4. a. Whit wey are you no answerin? b. Can you see the sea? c. Nae wey! d. I ate a haill can o beans, an a jeely piece. e. See youse efter scuil.
5. W: double-you (yer reflection).

page 13
nectar, nose; hairy, byke Heid Bummer.

page 14
earwig

page 15
a. reidcoat (ladybird) b. jecky forty-feet (centipede) c. hairy granny (hairy caterpillar) d. deil's darnin needle (dragonfly)

page 18
cockaleekie, cullen skink, tattie scones, champit tatties, parritch, neeps, kail.

page 23
a. lassies b. lang, broon c. Elizabeth d. left e. broon f. blae g. flooery h. Elizabeth, richt i. Hannah j. Elizabeth, left k. haun l. Hannah, oxter

page 30
blackbird/blackie, crow/craw, curlew/whaup, lapwing/peeweet, pigeon/doo, sparrow/speug, chaffinch/chaffie. cuckoo/gowk, goldfinch/gowdspink, owl/houlet gull/sea maw, starling/stirling

page 31
aik tree/oak tree, brock/badger, burn/stream, birk/birch tree, burds/birds, coo/cow, dyke/wall, ferm/farm, gean/cherry tree, glour/mud, gowans/daisies, gress/grass, grumphie/pig, loch/lake, mowdiewort/mole. tod/fox, wuids/woods, yowes/sheep

page 32
bridge/brig, cash-dispenser/puggie, chapel/chaipel, chimneys/lums, chip shop/chippie, church/kirk, clothes shop/claes shop, Employment Agency/Buroo, flower bed/flooer bed. High School/High Scuil, houses/hooses, lights/lichts, mosque/mosque, police station/polis station, roundabout/roondaboot, supermarket/supermercat, windows/windaes

page 33
douce, fozie, bausy, yammerin, eedle-doddle, joco, winsome, blate, pookit, mim-moued, ordinar, dwaiblie, canty

page 34
1. Gies yer crack/Give me your news 2. Tak tent/Pay attention 3. Will ye drap in on me the nicht?/Will you call in to see me tonight?
4. Can ye tummle yer wulkies? Can you turn a somersault? 5. Yer neb is dreepin/Your nose is dripping

pages 35-36
crabbit, wabbit, canty, cannie, glaikit, gleg, douce, crouse, clarty, peelie-wallie, tousie, quait, wud, vauntie, lug, wice, yivverin, kibble, Auntie Beanie, feckless, dour, leal, natterie, heeliegoleerie, humphie, disjaskit, drouth

page 41
1. Circus clowns = balloons, Rory the Ring Maister = ballerina, Zak an Zoe = butterflees, Skinnymalinkie Kirstie = black puddin, three craws = blackies, Hannah = bridie, Elizabeth = bride. Andrasara Acrobats = bananas, Wayne an Sam = basebaw player an basebaw, Jamie the Jougler = bubblyjock. Hector = bogle, Mary = bouquet, Rosie = Batman
2. Eck's grannie

An mind an hae a look for me on the Itchy Coo website at
www.itchy-coo.com

Designed and illustrated by **Karen Sutherland**, who illustrated *Animal ABC*, also published by Itchy Coo

Ann Matheson, a former teacher, has an M.Phil in Scots Language and Literature.

James Robertson is the author of *A Scots Parliament* and co-author of *The Hoose o Haivers*, both also published by Itchy Coo.